PEFC

10-31-2065

Certifié PEFC
pefc-france.org

Gallimard Jeunesse / Giboulées sous la direction de Colline Faure-Poirée et Hélène Quinquin.
© Éditions Gallimard Jeunesse 2017 - ISBN : 978-2-07-508422-2 - Numéro d'édition : 316562
Loi n° 49956 du 16 juillet 1949 sur les publications destinées à la jeunesse
Dépôt légal : juin 2017 - Imprimé en France par Pollina - L80499

Bénédicte Guettier

L'ÂNE TROTRO

À LA PLAGE

GALLIMARD jeunesse GiBOULées

TROTRO EST EN VACANCES À LA MER

UN PETIT CRABE VIENT LE VOIR.

COUCOU
TROTRO!

ET VOICI UN BERNARD-L'HERMITE !

BONJOUR TROTRO, IL EST BEAU TON CHÂTEAU!

MAIS NON! RIT LE CRABE. NOUS HABITONS ICI, ET NOUS NOUS BAIGNONS TOUS LES JOURS!

TU NOUS PRÊTES TON CHÂTEAU PENDANT CE TEMPS ? DEMANDENT SES DEUX NOUVEAUX COPAINS.

TROTRO, APPELLENT LILI ET NANA, TU VIENS TE BAIGNER AVEC NOUS ?

J'AI L'IMPRESSION D'ÊTRE
EN VACANCES! DIT LE CRABE.

MAIS QUAND TROTRO SORT
DE L'EAU, LA MER EST MONTÉE
ET LE CHÂTEAU TOUT ABÎMÉ !

CE N'EST PAS DE
NOTRE FAUTE !

CE N'EST PAS GRAVE! DIT TROTRO.
À NOUS TOUS NOUS ALLONS EN

RECONSTRUIRE UN TROIS
FOIS PLUS BEAU!